MORWYN LLYN Y FAN

Gwenno Hughes
Jac Jones

GOMER

Argraffiad cyntaf – 2002

ISBN 1 84323 143 3

Dymuna'r cyhoeddwyr gydnabod cymorth Adrannau Cyngor Llyfrau Cymru.

Argraffwyd gan
Wasg Gomer, Llandysul, Ceredigion.

Unig fab Sibi Blaen Sawdde oedd Rhiwallon a byddai'n bugeilio
gwartheg ei fam bob dydd.

Roedd Rhiwallon yn hoffi bugeilio, ond roedd yn fwy hoff fyth
o gymryd hoe fach bob hyn a hyn. Un bore, wedi iddo fod yn cerdded
ar y Mynydd Du, eisteddodd i lawr ger Llyn y Fan Fach, agor ei glwtyn
cinio a phlannu ei ddannedd i mewn i frechdan gaws.

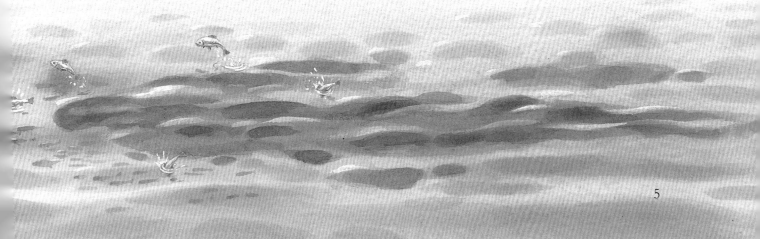

Ond cyn iddo lyncu'i damaid cyntaf, gwelodd Rhiwallon rywbeth rhyfedd. Roedd hi'n ddiwrnod tawel, llonydd ond roedd dŵr Llyn y Fan Fach yn crynu. Yn crynu ac yn crynu.

Ac yna gwelodd Rhiwallon ferch yn codi o waelod y llyn.

Hi oedd y ferch harddaf a welodd Rhiwallon erioed – ei gwallt fel cnau castan, ei chroen fel ifori a'i llygaid yn wyrddach na gwyrdd. Yn y fan a'r lle, syrthiodd dros ei ben a'i glustiau mewn cariad â hi. Ond wyddai Rhiwallon ddim beth ar wyneb y ddaear i'w ddweud, felly cynigiodd ei frechdan iddi.

"Mm – diolch," meddai'r ferch hardd yn swil.

Er mawr syndod i Rhiwallon, y munud y dechreuodd hi gnoi'r bara, fe'i poerodd i'r dŵr.

"Ych a fi!" ebychodd. "Mae dy fara di'n grimpach na chrimp. Sut alla i fwyta peth mor drybeilig o sych? Nid fel yna mae fy ennill i!"

A chyn i Rhiwallon gael ei wynt ato, diflannodd y ferch hardd yn ôl i waelod y llyn. Aeth Rhiwallon adre'n drist ac adrodd hanes y ferch brydferth wrth ei fam.

"Un o dylwyth teg y llyn ydi hi, siŵr i ti," meddai Sibi. "Maen nhw'n gyfoethog tu hwnt ond yn hynod o beryglus. Byddai'n well o lawer i ti ddewis un o ferched y pentref . . ."

"Ond rwy'n ei charu hi, Mam!" llefodd Rhiwallon. "Wnewch chi fy helpu i'w hennill hi?"

Ac wedi gweld yr olwg druenus ar wyneb ei mab annwyl aeth Sibi ati'n syth i bobi bara. "Fe boba i'r bara yn ysgafn. Bydd y dorth yn siŵr o wneud argraff dda arni hi."

Yn gynnar y bore wedyn, cerddodd Rhiwallon at Lyn y Fan Fach gyda'i frechdanau. Roedden nhw wedi eu torri o'r dorth a graswyd yn ysgafn.

Bu Rhiwallon yn disgwyl a disgwyl am y ferch hardd, a chyn bo hir dechreuodd dŵr Llyn y Fan Fach grynu. Crynu a chrynu.

Ac yna gwelodd Rhiwallon y ferch brydfertha'n y byd yn codi o waelod y llyn. Roedd o wedi mopio'n lân a rhuthrodd at ymyl y dŵr i gynnig brechdan iddi . . .

"Gobeithio'i bod hi'n well na'r un ges i ddoe," meddai'r ferch.

Ond y munud y dechreuodd hi gnoi'r frechdan, fe'i poerodd i'r dŵr.

"Ych a fi!" meddai'r ferch "Prin fod dy fara di wedi crasu o gwbl. Sut alla i fwyta peth mor drybeilig o doeslyd? Nid fel yna mae fy ennill i!"

A chyn i Rhiwallon gael ei wynt ato, diflannodd y ferch hardd yn ôl i waelod y llyn. Aeth Rhiwallon adre'n drist unwaith eto.

"Rhag ei chywilydd hi, yn cwyno eto!" meddai Sibi. "Ond paid â phoeni. Fe boba i dorth arall i ti. Torth heb fod yn sych nac yn doeslyd, er mwyn i ti wneud argraff dda arni hi."

"Gobeithio'n wir," meddai Rhiwallon yn drwm ei galon, "neu fydd gen i ddim gobaith o'i chael hi'n wraig."

Bu Sibi Blaen Sawdde wrthi fel lladd nadroedd yn pobi, ac yn gynnar y bore wedyn cerddodd Rhiwallon at Lyn y Fan Fach gyda brechdanau a dorrwyd o dorth heb fod yn sych nac yn doeslyd.

Bu Rhiwallon yn disgwyl a disgwyl am y ferch, a chyn bo hir dechreuodd dŵr Llyn y Fan Fach grynu. Crynu a chrynu.

Ac yna gwelodd Rhiwallon y ferch brydfertha'n y byd yn codi o waelod y Llyn.

Roedd hi hyd yn oed yn harddach nag yr oedd Rhiwallon yn ei gofio, a rhuthrodd at ymyl y dŵr i gynnig brechdan iddi.

"Gobeithio ei bod hi'n well na'r un ges i ddoe," meddai'r ferch.

Daliodd Rhiwallon ei wynt, a'r tro yma roedd y ferch fel petai'n mwynhau.

"Mm," meddai a gwên ar ei hwyneb. "Bendigedig . . . Ben-di-gedig!"

A daeth hi allan o'r llyn i eistedd yn ymyl Rhiwallon ar y borfa. Bu'r ddau'n siarad ac yn siarad nes i'r haul fachlud ac i'r sêr oleuo'r nen.

Y noson honno aeth Rhiwallon adre mor hapus â'r gog.

Roedd Sibi Blaen Sawdde wrth ei bodd pan glywodd fod y ferch hardd, o'r diwedd, wedi hoffi ei bara. A bob nos ar ôl hynny, bu Sibi wrthi fel lladd nadroedd yn pobi torth nad oedd yn rhy sych nac yn rhy doeslyd i'w thorri'n frechdanau blasus i fynd i glwtyn cinio Rhiwallon.

A bob bore, byddai Rhiwallon yn arwain y gwartheg at Lyn y Fan Fach i aros i'r ferch hardd godi o'r llyn. Treuliai'r ddau eu dyddiau'n bwyta ac yn siarad ac yn siarad ac yn bwyta a chyn bo hir fe ddisgynnodd hithau dros ei phen a'i chlustiau mewn cariad â Rhiwallon.

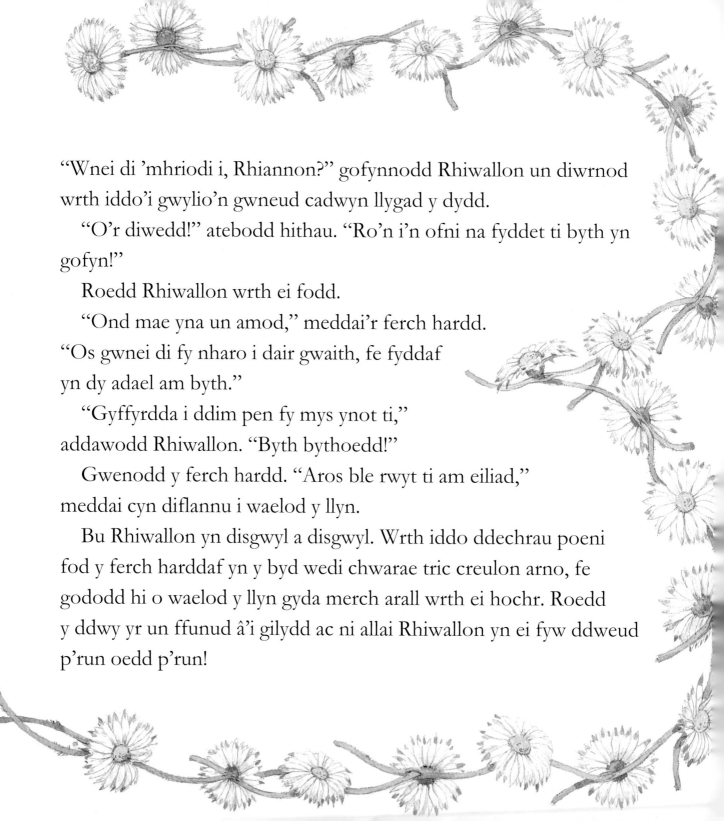

"Wnei di 'mhriodi i, Rhiannon?" gofynnodd Rhiwallon un diwrnod wrth iddo'i gwylio'n gwneud cadwyn llygad y dydd.

"O'r diwedd!" atebodd hithau. "Ro'n i'n ofni na fyddet ti byth yn gofyn!"

Roedd Rhiwallon wrth ei fodd.

"Ond mae yna un amod," meddai'r ferch hardd. "Os gwnei di fy nharo i dair gwaith, fe fyddaf yn dy adael am byth."

"Gyffyrdda i ddim pen fy mys ynot ti," addawodd Rhiwallon. "Byth bythoedd!"

Gwenodd y ferch hardd. "Aros ble rwyt ti am eiliad," meddai cyn diflannu i waelod y llyn.

Bu Rhiwallon yn disgwyl a disgwyl. Wrth iddo ddechrau poeni fod y ferch harddaf yn y byd wedi chwarae tric creulon arno, fe gododd hi o waelod y llyn gyda merch arall wrth ei hochr. Roedd y ddwy yr un ffunud â'i gilydd ac ni allai Rhiwallon yn ei fyw ddweud p'run oedd p'run!

Wrth iddo syllu arnynt, cododd ton enfawr o ganol y llyn, ac ar grib y don roedd hen ŵr â barf wen at ei draed.

"Fi yw hen ŵr Llyn y Fan Fach," meddai'r gŵr barfog, "ac rwy'n deall dy fod ti eisiau priodi Rhiannon, fy merch i."

"Y . . . ydw," meddai Rhiwallon. "Ydw, os gwelwch yn dda, syr."

"Yr unig ffordd y cei di fy nghaniatâd i," taranodd hen ŵr y llyn, "yw trwy brofi dy fod ti'n ei charu. Felly, mae'n rhaid i ti ddewis pa un o'm hefeilliaid annwyl ydi Rhiannon. Ac os dewisi di'n anghywir, chei di byth mohoni'n wraig."

Llyncodd Rhiwallon ei boer. Roedd gan y ddwy efaill wallt fel cnau castan, croen fel ifori a llygaid gwyrddach na gwyrdd. Roedd y ddwy'n gwisgo'r un modrwyau. Sut yn y byd allai Rhiwallon ddewis rhyngddynt? Ac yna sylwodd ar y ferch ar y dde yn rhoi winc fach slei arno.

"Y ferch ar y dde yw Rhiannon!" llefodd. "Hi yw fy nghariad!"

"Fe ddewisaist ti'n iawn," meddai'r hen ŵr. "Fe gei di sêl fy mendith i'w phriodi, er fod ei cholli i fab y pridd yn dân ar fy nghroen i."

Roedd Rhiwallon ar ben ei ddigon, a rhoddodd glamp o gusan i Rhiannon. Plethodd y ddau eu breichiau'n dynn yn ei gilydd fel cadwyn o lygaid y dydd.

"Yn anrheg briodas fe gewch chi faint bynnag o wartheg, defaid, geifr, moch a cheffylau ag y gall Rhiannon eu cyfri ar un gwynt," addawodd hen ŵr Llyn y Fan.

Tynnodd hithau anadl ddofn a dechrau rhifo'n gyflym – fesul pump! Wrth iddi rifo, llamodd llu o anifeiliaid o'r llyn a buan y sylweddolodd Rhiwallon eu bod nhw'n gyfoethog iawn!

A hwythau ar fin cychwyn i Flaen Sawdde, clywsant lais dwfn yr hen ŵr yn galw o waelod y llyn.

"Rhiwallon! Gofala na wnei di byth daro Rhiannon," siarsiodd, "Dim ond i ti wneud hynny deirgwaith a bydd hi'n dychwelyd i'r llyn . . . am byth."

Ni allai Rhiwallon fyth ddychmygu taro ei gariad hardd. Ar ôl priodi, symudodd y ddau i fyw i fferm foethus Esgair Llaethdy. Roeddynt ar ben eu digon pan aned tri mab iddynt ac roedd Rhys, Rhun a Rheinallt wrth eu bodd yn gofalu am yr anifeiliaid. Doedd yr un teulu'n hapusach na theulu Esgair Llaethdy.

15

Yna un diwrnod, flynyddoedd yn ddiweddarach, roedd
Rhiwallon a Rhiannon yn chwarae pêl gyda'u meibion.
Taflodd Rhiwallon y bêl i'r entrychion ac fe geisiodd
Rhiannon ei dal. Ond daeth yr haul o'r tu ôl i gwmwl
a'i dallu. Bwrodd y bêl hi'n boenus ar ei braich.
Edrychodd Rhiannon yn drist arno.

"Dyna'r ergyd gyntaf, Rhiwallon," meddai'n oeraidd.
"Trawa di fi ddwywaith eto ac fe fydda i'n dychwelyd
ar unwaith i Lyn y Fan Fach."

Dychrynodd Rhiwallon drwyddo wrth gofio
rhybudd Rhiannon a'i thad. Roedd o wedi meddwl
mai sôn am ei cholbio a'i chnocio hi roedden nhw.
Ond roedd o'n amlwg wedi camddeall. Ac o hynny
ymlaen, tyngodd Rhiwallon y byddai'n gofalu
peidio ag achosi'r niwed lleiaf i Rhiannon . . .

Fe geisiodd ei orau i gadw at ei air – ond wrth i'r
meibion dyfu a'r fferm ffynnu, buan yr anghofiodd
ei ofnau.

Flynyddoedd yn ddiweddarach, daeth yn bryd i'w mab hynaf briodi. Wrth ruthro i eglwys y plwyf ar fore'r briodas, anghofiodd Rhiannon ei menig yn y tŷ.

"Wnei di eu nôl nhw i mi, Rhiwallon, cariad?" gofynnodd.

Pan ddychwelodd yntau gyda'r menig, taflodd hwy'n chwareus at ei wraig. Fe ddaliodd hi un ohonynt ond bwrodd y llall hi'n galed ar draws ei boch.

Edrychai Rhiannon yn flin, a fflachiai ei llygaid gwyrddach na gwyrdd.

"Dyna'r ail ergyd, Rhiwallon," rhybuddiodd. "Trawa di fi unwaith eto ac mi fydda i'n dychwelyd ar unwaith i Lyn y Fan Fach."

Dychrynodd Rhiwallon drwyddo. Ac o hynny ymlaen, tyngodd y byddai'n fwy gofalus fyth o gwmpas Rhiannon.

18

Er cymaint yr oedd Rhiannon yn caru ei gŵr a'i meibion a'i bywyd hapus ar dir sych, daliai i hiraethu am ei thad a'i chwaer, ac am brydferthwch a rhyddid ei bywyd dan donnau'r llyn.

Yna, un diwrnod, aeth Rhiwallon a Rhiannon i angladd hen ffrind yn eglwys y plwyf. Roedd pawb yn yr angladd yn wylo. Pawb ond Rhiannon. Roedd hi'n chwerthin nerth ei phen ar lan y bedd.

"Taw, ddynes, paid â chwerthin!" meddai Rhiwallon. Wrth iddo ruthro draw i'w thawelu, fe faglodd dros garreg a bwrw'n ei herbyn. Cwympodd y ddau'n bendramwnwgl i mewn i'r bedd.

Edrychai Rhiannon yn flin a fflachiai ei llygaid gwyrddach na gwyrdd.

"Dyna'r drydedd ergyd, Rhiwallon," meddai.

"Ro'n i'n chwerthin am fod ein ffrind yn mynd i le gwell," eglurodd mewn llais iasoer, "ac am fy mod i'n hapus o gael dychwelyd i'r llyn o'r diwedd."

"Na, Rhiannon," llefodd Rhiwallon. "Doeddwn i ddim yn bwriadu dy frifo di! Damwain oedd hi!"

Ond gwrthododd ei wraig wrando. Cododd fel ysbryd o'r bedd ac wrth iddi hofran uwchben Rhiwallon meddai,

"Fe fydda i'n dy garu di am byth, Rhiwallon, ond rwy'n perthyn i fyd arall. Byd Llyn y Fan Fach. Roeddet ti bob amser yn amau y byddai'n rhaid i mi ddychwelyd, yn doeddet?"

"Paid â'n gadael ni, Rhiannon," erfyniodd Rhiwallon, a'i galon ar fin torri. "Alla i ddim byw hebddot ti."

Brasgamodd Rhiannon am Esgair
Llaethdy gan alw'r holl anifeiliaid
ddaeth gyda hi o Lyn y Fan Fach,
a'r holl rai a aned ar y fferm,
i ddychwelyd adre gyda hi.
Gwartheg a lloi, defaid ac ŵyn,
geifr a mynn, moch a pherchyll,
ceffylau ac ebolion. Aeth y cyfan
i'w chanlyn. Ac fe sylweddolodd
Rhiwallon ei fod nid yn unig yn
mynd i golli ei wraig annwyl, ond
ei holl gyfoeth hefyd . . .

Trodd dau geffyl gwedd gorau Rhiwallon ar ganol aredig cae gan lusgo'r aradr trwm ar eu holau. Aethant i ddilyn Rhiannon a'r anifeiliaid eraill dros waen a rhos a chytir, bob cam o'r ffordd dros Fynydd Myddfai at lannau Llyn y Fan Fach.

Pan welodd Rhiwallon hynny llefodd, "Paid â mynd, Rhiannon!" Ond gwyddai yn ei galon na allai ei pherswadio i newid ei meddwl.

Y cyfan a glywai hi oedd lleisiau'r llyn yn galw.

Roedd wyneb Rhiwallon yn rhaeadr o ddagrau, ond yn ei blaen yr aeth Rhiannon a chamu i mewn i'r llyn. A bu'n rhaid i'w gŵr druan neidio o'r ffordd i osgoi cael ei sathru dan garnau'r anifeiliaid.

Syllodd Rhiwallon mewn anobaith wrth weld
y dŵr yn llepian o gwmpas pengliniau Rhiannon,
yna'i gwasg, yna'i hysgwyddau ac yna gwelodd
y gwallt fel cnau castan yn suddo i ddyfnderoedd
oer y llyn.

Dilynodd pob un o'r anifeiliaid hi, ac mewn
chwinciad roeddynt hwythau hefyd wedi diflannu
i ddyfnderoedd Llyn y Fan Fach.

Dychwelodd Rhiwallon bob dydd i Lyn y Fan Fach,
ond welodd o byth mo Rhiannon wedyn.

*   *   *

Ond os ewch chi yno am dro rywbryd, ac os syllwch
chi'n hir i waelodion y dŵr, efallai, efallai, y cewch chi
gip ar y ferch a dorrodd galon mab Sibi Blaen Sawdde.

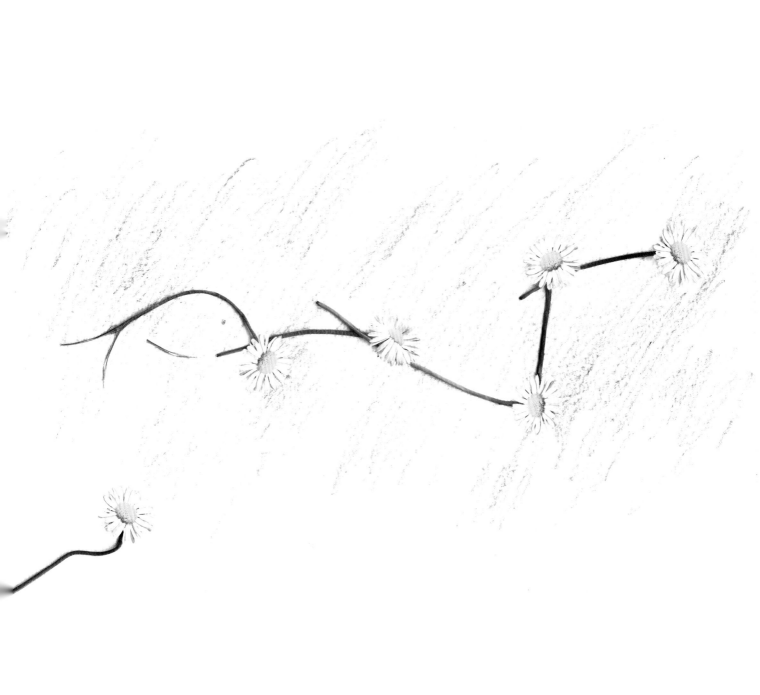